HEN WRAGEDD A FFYN
AC EIRA GWYN

GW00391834

Golygydd: Myrddin ap Dafydd

ⓗ y beirdd/Gwasg Carreg Gwalch

ⓗ y lluniau: Siôn Morris

Argraffiad cyntaf: Chwefror 2004

Rhif Llyfr Safonol Rhyngwladol:
0-86381-904-4

Cynllun clawr a'r lluniau tu mewn: Siôn Morris

Argraffwyd a chyhoeddwyd gan Wasg Carreg Gwalch,
12 Iard yr Orsaf, Llanrwst, Dyffryn Conwy, LL26 OEH.
📞 01492 642031
📠 01492 641502
✉ llyfrau@carreg-gwalch.co.uk
lle ar y we: www.carreg-gwalch.co.uk

CERDDI  LLOERIG

Hen Wragedd a Ffyn ac Eira Gwyn

Barddoniaeth am y tywydd a'r tymhorau

Gol: Myrddin ap Dafydd

Cynnwys

Cyflwyniad

Sut dymer sydd arnat ti heddiw? Sut dywydd sydd acw?

Mae'n rhyfedd pa mor agos ydi'r ddau o hyd, yn tydi? Os oes awyr las a haul braf, mae pawb yn codi o'i wely'n hapus, gyda gwên yn tywynnu ar eu hwynebau. Ond os ydi hi'n fore oer, tywyll a gwlyb, diflas iawn yw'r olwg yn ein llygaid ninnau hefyd.

Mae'r teimlad a'r tywydd a'r tymhorau yn perthyn yn agos at ei gilydd mewn barddoniaeth Gymraeg ers cannoedd o flynyddoedd. Mae'r gwanwyn a thywydd mis Mai wedi eu cysylltu ag egni bywyd, hwyl a mwynhau; mae'r hydref a'i ddail crin, a gwyntoedd y gaeaf, yn ddarluniau o henaint a digalondid yn aml.

Mae'r pwyslais ar y mwynhau yn y casgliad yma, wrth gwrs – hyd yn oed yng nghanol dagrau'r glaw, mae lle i chwerthin weithiau. Beth bynnag yw'r tywydd y tu allan, felly, trowch i mewn at y tudalennau hyn os am ychydig o gysur.

Mwynhewch y darllen!

Myrddin ap Dafydd

Hen wragedd a ffyn

A welwch chi nhw
Yn eu ffrogiau gwyn,
Yn neidio o'r awyr
Gan chwipio eu ffyn?

Glywch chi drybedian
Eu traed ar y to,
A churo eu ffyn
Ar ffenestri'r fro?

Mae'n braf yn y gwely
Yn swatio yn dynn,
Pan fydd hi yn bwrw
Hen wragedd a ffyn.

Edgar Parry Williams

A dyma'r tywydd . . .

Eira mawr
Yn Waunfawr

Stido bwrw
Yn Eglwyswrw

Tywydd pig
Ym Melin-y-wig

Coblyn o niwl
Yn Abermiwl

Andros o gorwynt
Ar fynydd Epynt

Glaw drwy'r to
Yng Nghwm-y-glo

Bwrw hen wragedd a ffyn
Yn Nhal-y-llyn

Anti-seiclon
Yn Aberdaron

Mellt a tharana
Ym Mhontcanna

8

Tornedo
Yn Nebo

OND . . .

Braf gynddeiriog
Ym MLAENAU FFESTINIOG!

Haf Roberts

Arwyddion

Traeth awyr uwchben, a chyn hir fe ddaw
ychydig o haul ac ychydig o law.

Os bydd y gwenyn yn aros gartre,
glaw a ddaw ymhell cyn y bore.

Gwylanod yn hedfan draw at y tir,
tywydd garw sy i ddod yn wir.

pan fo'r brain uwchben yn troelli,
fe ddaw stormydd gwyllt i'n poeni.

Gwartheg yn gorwedd a gwynt yn troi'r dail –
'Glaw,' meddai rhai; tybed oes yna sail?

Valmai Williams

Pawb a'i ffansi

'Saffari,' meddai Guto;
'Rhy boeth,' oedd ateb Mam.
Gweld rhewfryn yn Alaska –
dyna oedd breuddwyd Sam.
Torheulo'n Sbaen, 'na syniad
Sara o fod yn cŵl;
'Fel penwaig yn yr halen,'
dwedais, 'paid bod yn ffŵl.'
'Hwylio ar lyn Llanberis,'
dywedodd Dad a fi,
'Mae'r tywydd yno'n siwtio
y ddau ohonom ni.'

Valmai Williams

11

Limrigau tywydd

Roedd hen adeiladydd Penstrwmbwl
Ar ganol ei hoff bwdin crwmbwl
   Pan aeth gwynt Labradôr
   Â'i do 'fewn i'r môr
Gan oeri y cwstard a chwbwl!

      *   *   *

Cymylog yw'r dydd ar y naw,
Hawdd gweld 'bod hi'n debyg i law;
   'Llaw dde 'ta llaw chwith?'
   Holodd llanc o Gefn Brith
Gan roi llafn bach o heulwen drwy'r glaw.

Myrddin ap Dafydd

Plesio

Mae Dad yn diawlio'r glaw
Am fod y chwyn yn tyfu;
Mae Dad yn diawlio'r haul
Am fod ei groen yn llosgi.
Mae Dad yn diawlio'r gwynt
Am fod ei het yn hedfan;
Mae Dad yn diawlio'r oerni
Am fod ei drwyn yn snwffian.
Mae Dad yn diawlio'r rhew
Am fod ei droed yn llithro;
Un diflas ydy Dad –
Sdim byd sydd yn ei blesio.

Gwyn Morgan

Fy nhywydd i . . .

Fi sydd biau'r tywydd
A fi sydd biau'r gwynt;
Fi sydd biau'r heulwen
A'r storom ar ei hynt.

Fi sydd biau'r cesair
A'r eira mân a mawr,
A fi sydd biau'r t'ranau
A'r llwydrew cyn y wawr.

Fi sydd biau'r tywydd,
Ac ar ôl tyfu'n ddyn
Mi fydd yn haf drwy'r flwyddyn
A bydd heulwen i bob un!

Carys Jones

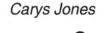

Tywydd ufudd

Pe byddai'r haul a'r glaw bob un
Yn gwrando ar ddyn yn ufudd,
A fyddai pawb yng Nghymru'n llon
A bodlon ar y tywydd?

Edgar Parry Williams

Misoedd

Ionawr a Chwefror
Ddaw â'r eira a'r rhew,
A Mawrth gyda'i wyntoedd
Yn rhuo fel llew.

Ebrill a'i friallu
A'i gawodydd o law,
Mai gyda'i glychau
Yn garped islaw.

Mehefin mor dyner
Yn taenu ei rin,
Gorffennaf a'i des,
Ac Awst fel y gwin.

Cynhaeaf mis Medi
A ddaw yn ei dro,
A'i ddilyn wna'r Hydref
Gan baentio y fro.

Os niwloedd mis Tachwedd
Ddisgynnant fel hud,
Daw Rhagfyr a'i Ddolig
I lonni ein byd.

Selwyn Griffith

Elfed y Tywydd . . .

Medd Elfed y Tywydd yn hwyr un nos Lun,
'Bydd gwyntoedd yn cadw pob un ar ddihun . . . '

Medd Elfed y Tywydd ddydd Mawrth trwy ei drwyn,
'Mi fydd hi yn glaear a'r awel yn fwyn . . . '

Medd Elfed y Tywydd ddydd Mercher un tro,
'Bydd haul yn disgleirio a'r haf yn y fro . . . '

Medd Elfed y Tywydd ddydd Iau amser te,
'Bydd mellt a tharanau o'r gogledd i'r de . . . '

Medd Elfed y Tywydd ddydd Gwener yn brudd,
'Bydd niwl a chymylau fel tarth dros y ffridd . . . '

Medd Elfed y Tywydd ddydd Sadwrn yn slei,
'Bydd gwres i'r fath raddau cewch nofio'n y cei . . . '

Medd Elfed y Tywydd ddydd Sul wrth y tân,
'Dwi'n hoffi deud celwydd wrth bob Cymro glân!'

Carys Jones

Tydi hi'n wlyb, tydi hi'n braf

Paham fy mod i
A phawb, sylwch chi,
Yn siarad o hyd am y tywydd?
'Mae'n wlyb, mae hi'n sych,
Mae'r gwres 'ma yn wych,
Ond mae 'na ryw niwl ar y mynydd.'

Pe bydde'n ni'n byw
Mewn gwlad fel Periw,
A'r heulwen bob dydd yn tywynnu,
Fe ddwedem 'helô',
Dim mwy – dyna fo,
Dim chwaneg i'w ddweud ar ôl hynny.

Eilir Rowlands

18

Bwrw hen wragedd a ffyn

Y golchi'n pentyrru
A cheg Mam reit dynn;
Pam felly? Mae'n bwrw
Hen wragedd a ffyn.

Mae pobol yn cwyno,
A gwep pawb yn syn
Am ei bod hi yn bwrw
Hen wragedd a ffyn.

Mae'r hwyaid yn hapus
Yn nofio'n y llyn
Yng nghanol y dilyw
Mewn cotiau plu gwyn.

A'r plant wrth eu boddau
Fod y tywydd fel hyn,
'Hwrê! mae hi'n bwrw
Hen wragedd a ffyn.'

Valmai Williams

Byw mewn gwlad boeth

Rwy'n gweld awyr las,
ambell gwmwl uwchben;
ni welais i 'rioed
law'n syrthio o'r nen.

Ys gwn i pa bryd,
pa bryd, dwedwch, y daw?
Trwy gydol fy mywyd
ni welais mo'r glaw.

Valmai Williams

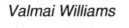

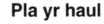

Pla yr haul

Cot law 'ges gan fy mam –
Y ddela yn y byd;
Mae ganddi liwiau llachar,
Mae'n gynnes ac yn glyd.

Rwy'n grac ers dyddiau lawer,
Bu'n dywydd twym a da,
A'r got yn gaeth i'r cwtsh dan stâr
On'd yw yr haul yn bla?

Gwyn Morgan

Llosg haul

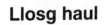

Codi'n y bora
A finna'n Majorca,
Ma' pawb wedi'i haddo hi'n braf;
Agor y llenni –
Glaw, myn dian i –
A hitha yn ganol yr haf!

Mymryn o awel,
Edrych i'r gorwel,
Rhimyn o aur draw ymhell;
Cymylau'n carlamu,
Y du yn diflannu,
Petha yn edrych yn well.

Mam wrthi'n swnian
Cyn imi fynd allan:
'Rho hufen haul ar dy groen!'
Ond 'nes i ddim gwrando,
A'r haul oedd yn taro,
Ond do'n i'm yn teimlo dim poen.

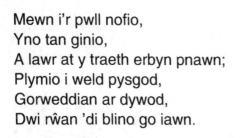

Mewn i'r pwll nofio,
Yno tan ginio,
A lawr at y traeth erbyn pnawn;
Plymio i weld pysgod,
Gorweddian ar dywod,
Dwi rŵan 'di blino go iawn.

Syrthio i gysgu,
A'r haul yn fy nrysu,
Breuddwydio am 'n agos i awr.
Llond mŷg o ddŵr heli
Yn syth ar fy mol i,
A'm chwaer yn ei dybla ar lawr.

'Tydio'm yn ddigri!
Ma' pawb wedi 'ngweld i!'
A rŵan dwi'n teimlo ryw gryndod.
Fy nghoesa fel jeli
Yn sigo o dana'i,
Dwi'n syrthio yn glewt ar y tywod.

Dwi'n deffro'n fy ngwely,
Yr un yn y gwesty,
A Mam yno'n gafael 'n fy llaw.
Mae nhad y tu ôl 'ddi,
Yn edrach o ddifri
Fel tai 'di cal coblyn o fraw.

Llosg haul 'di troi'n dwymyn,
A ges i, medd rhywun;
Ac er mod i'm cweit wedi dalld,
Dwi'n sicir 'di dysgu
Mai poenus 'di llosgi!
Roedd honna yn wers fach go hallt.

Cefin Roberts

Cawod gyntaf mis Gorffennaf

Sefyll yn y byncyr dail
I gadw o raeadr y glaw,
Ymbarél o frigau onnen
A disgwyl am yr heulwen
Gan wybod yn siŵr y daw.

Diferion carreg yn gorffen haf
A'r nefoedd fel ysbryd du,
Mae Duw yn bwrw'i ddagrau
Wrth weld y byd yn ddarnau
A chysgod onnen yw'n tŷ.

Ond er bod blanced dros fy mhen
Mae'r felin yn dal i droi,
Mae'r dŵr yn llenwi'r cwpanau
Sy'n symud dan y pwysau
Ac nid yw'r olwyn yn cloi.

Hanner ffordd o gwmpas yr haul
A hanner ffordd arall i fynd,
Ac er bod y glaw'n pistyllu,
Bydd yr haf unwaith eto'n gwenu
A'i wyneb fel hen ffrind.

Blwyddyn 5
Ysgol Gymraeg Melin Gruffydd

Byw mewn gobaith

Aeth Morus y Gwynt ac Ifan y Glaw
I lawr i'r traeth gyda bwced a rhaw
I geisio gwneud castell â thyrrau mawr cryf
A chaer fawr o'i gwmpas i atal y llif.

Aeth Morus i balu a chodi'r wal fawr,
Ond gwynt ddaeth o rywle a'i chwythu i'r llawr;
Aeth Ifan i gloddio sail gadarn i'r tŵr
Ond glaw ddaeth o rywle a'i llenwi â dŵr.

Aeth Morus y Gwynt ac Ifan y Glaw
Yn ôl ar y bws gyda bwced a rhaw;
'Dim ots,' meddai'r ddeuddyn wrth deithio ymhell,
'Yfory mi fydd y tywydd yn well!'

Carys Jones

Beth maen nhw'n neud?

Beth maen nhw'n neud
Yng **Nghwm Nant yr Eira**?
Aros adra
A sgarff am eu clustia
I chwarae cardia
Yng Nghwm Nant yr Eira.

Beth maen nhw'n neud
Ym **Mhentre Dŵr**?
Nôl bwced, siŵr,
A chario'r dŵr
I **Gwmsychbant**
A gwneud pwll bach i'r plant.

Beth maen nhw'n neud
Yng **Nghraig-adwy-wynt**?
Codi melin wynt
Sy'n troi'n gynt a chynt,
A chodi sawl punt
Am roi trydan bob nos
I **Graig y Nos**.

Beth maen nhw'n neud
Yng **Nghoed-poeth**?
Wel, maen nhw'n rhai doeth –
Pan fydd hi'n rhy boeth
Fe ânt yn droed-noeth
I **Gwm Hafod Oer**,
A chael parti dan y lloer!

Dyna beth maen nhw'n neud!

Dorothy Jones

Tywydd carafanio

I fynd i Steddfod yr Urdd un flwyddyn
Cawsom fenthyg carafán fechan dwt,
Ac i ffwrdd â ni un bore braf,
A'r garafán wrth ein cwt.

Daeth y glaw i lawr ym Mhorthmadog,
Roedd hi'n tywallt hen wragedd a ffyn.
Pawb wedi swatio yn glyd yn y car,
A'r ffenestri 'di cau yn dynn.

Ar y ffordd sy'n mynd heibio Trawsfynydd –
Pyncjar yn olwyn y garafán fach!
Allan â Dad yn bytheirio,
'Mae carafán wastad yn strach!'

'Tisio help?' gwaeddodd Mam drwy'r ffenest,
Ond doedd dim byd y medra hi neud.
Roedd yr olwyn sbâr yn nhŷ Yncl Wil,
A fi oedd 'di anghofio deud.

Erbyn hyn roedd Dad yn wlyb at ei groen,
Fel llygoden ddŵr, ac yn flin;
Ei sgidia yn gwichian wrth slempian drwy'r dŵr,
A'i drwsus yn glynu'n ei din.

Fe dynnodd y garafán yn rhydd
A'i gadael ar ochr y lôn,
A ffwrdd â ni i Drawsfynydd
I chwilio am garej ne' ffôn.

A diolch i ddyn y garej
A ddaeth allan drwy law gwaetha'r haf,
Fe drwsiwyd y pyncjar a ffwrdd â ni –
I'r de lle roedd heulwen braf.

Lis Jones

29

Tydi o'n beth braf?

Tymor y mefus, glan môr a gwibdeithiau,
Straen arholiadau a chwys mabolgampau,
Tyfiant a chnydau'n anferthol mwya sydyn!
Ymwelwyr a thraffig ar brydiau'n codi gwrychyn.
   Ie, tymor yr haf,
Ond tydi o'n beth braf cael byrlymu a charlamu
   Drwy dymor yr haf?

Dim rhaid gwisgo côt, dim rhaid gwisgo sanau,
Dim ond trywsus go fyr, crys-T a sandalau;
Dim rhaid eiste'n tŷ wedi iddi d'wyllu gyda'r nosau –
Mae'n olau tan yn hwyr am wythnosau ar wythnosau!
   Ie, tymor yr haf,
Wel, tydi o'n beth braf gweld popeth mor groeniach
   Drwy sbectol yr haf?

Dim ysgol am wythnos, dim ysgol am ddwy,
Dim ysgol am dair a phedair a mwy,
Erbyn canol mis Awst, mae'n anodd iawn cofio
Sut deimlad, go iawn, ydi gorfod mynd yno!
   Ie, hir hoe yr haf;
Waw! Tydi o'n beth braf cael yr hawl i anghofio'n
   Ystod gwyliau yr haf?

Ann (Bryniog) Davies

Dal y dail

Mae llygaid Iolo
ar ddeilen sy'n syrthio.
Mae Iolo'n gyffro
a'i gorff yn effro.
Mae yntau'n gwylio'r
gleidr yn crwydro,
yn troi'n arnofio.
Mae hon yn smalio
ei bod hi'n gwibio,
ac yna'n dringo.
Nid yw yn danto –
mae'i draed yn chwilio,
ar ras, yn dawnsio,
ei wên yn brolio,
mae e'n anwylo,
mae hi bron yn glanio –
BANG – mae Iolo
wedi bwrw'i ben o
ar y blwch postio.
Nawr mae'n diawlio
i'r dail ei swyno.

Mae'n bryd iddo gallio.

Gwyn Morgan

Y gwynt

Gallaf fynd drwy y drws heb unrhyw agoriad
a diosg y derw o'u dail mewn eiliad.

Gallaf yrru'r cymylau, ysgwyd adeiladau,
neu grwydro'r ardd heb ddeffro'r blodau.

A chynhyrfu'r moroedd a suddo'r llongau,
cludo persawr y rhosyn ar awel i'ch ffroenau.

Pan wyf yn gas rwy'n bloeddio'n gynddeiriog,
ond wedi i mi flino, rwy'n hynod dawedog.

Valmai Williams

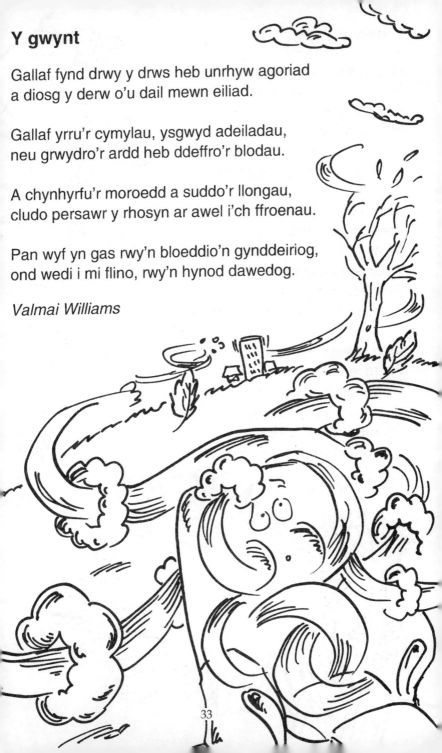

Y gwynt mawr

Fe gododd gwynt nerthol
Rhyw ddydd yng Nghwm Sbectol
Nes chwythu y blew 'ffwrdd o'r ci;
Fe chwythodd y gole
I waelod fy sgidie
A chwythwyd y dannedd o'r lli.

Aeth dillad y gwely
I ben draw y popty
A chwythwyd y dydd mewn i'r nos;
Yr iâr wedi dychryn
Pan 'hedodd y mochyn
A chuddiodd mewn hen botel sôs.

Aeth tarw yr Hendre
Fel roced i'r gwagle
A'r tractor fel jet i Ben Llŷn;
Daeth Jac y pry genwair
Fel mellten o'r ddaear
A chwythwyd o 'mewn iddo'i hun.

Eilir Rowlands

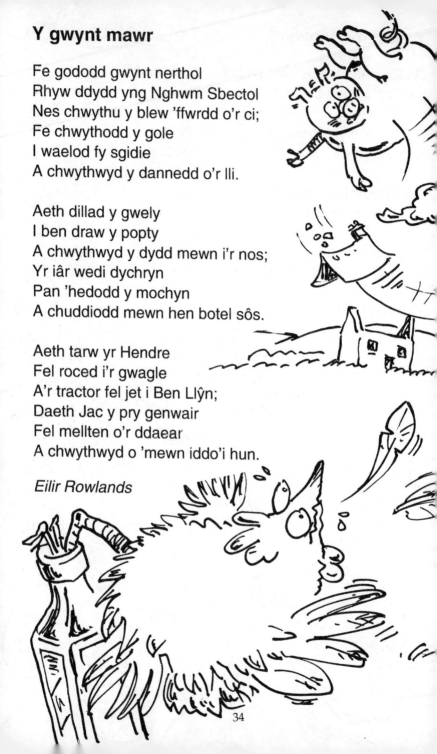

34

Ceiliog y gwynt

Dim iâr i'w gadw'n gynnes,
Dim bwyd, dim cwt bach clyd,
Mae hwn yn treulio'i ddyddiau
Yn edrych dros y byd,
I'r gogledd a'r gorllewin,
I'r dwyrain ac i'r de,
A throelli yn yr unfan
Ar eglwys yn y dre.

Dim clochdar gyda'r wawrddydd,
Dim strytian hyd y fro,
Dim camu'n falch ar fuarth.
O na! Ei dynged o
Yw ufuddhau i'r gwyntoedd
Bob bore, nos a phnawn,
Ac yntau yn breuddwydio
Am fod yn geiliog iawn.

Zohrah Evans

Ble mae'r haf, Mam?

Mam, wyt ti'n gallu meddwl fel dewin?
Wyddost ti o ble daeth yr holl law,
A hithau i fod yn boeth?
Ydi hi'n bwrw glaw ym mhobman
Ar hyd a lled y byd,
Neu dim ond uwchben tŷ ni
Ac i lawr at waelod y stryd?

Mam, wyt ti'n cofio'r wyau Pasg ar sil ffenest
Yn toddi'n braf yn un rhes,
Ac Anti Dora drws nesa'n deud,
'Alla i byth â godde'r fath wres!'?
Wel, i ble'r aeth yr holl boethder hwnnw,
Dyna faswn i'n lecio'i wybod, plîs;
Ac yn bwysicach na hynny, pryd ddaw o'n ôl,
Ymhen diwrnod, 'ta wythnos, 'ta mis?

Pryd ddaw hi'n haf go iawn, Mam,
A ninna'n cael mynd i lan môr?
Dwi isho tyllu drwy'r tywod i grombil y byd;
– Hei, does 'na'm glaw!
Ond ydi hi'n dal i fod yn rhy oer?
Pam mae'r haul wedi pwdu, Mam?
Be? Wyddost ti ddim?
Wel, pam?

Elena Gruffudd

Gwynt

Wy'n chwythu lawr o'r gogledd pell
neu weithiau lan o'r de,
o'r dwyrain neu'r gorllewin –
Sai'n poeni lot o ble.
Wy'n joio bob eiliad o 'mywyd,
yn achosi stŵr a thrwbwl,
a phan ma'r coed yn cwympo
'sdim ots 'da fi o gwbwl.
Wy'n chwythu wìg y gweinidog i'r baw
a het y plismon i'r cae,
codi sgertie gwragedd tew
a theils oddi ar y tai;
rhacso dillad ar y lein
a'r cychod ar y lli –
ble bynnag ma' 'na helbul
ŷch chi'n siŵr o 'nghlywed i.
Ond os ŷch chi'n meddwl 'mod inne
yn wynt sy'n ddrwg a chas,
dylech chi gwrdd â 'nghefnder
pan ma' fe'n dewis dod mas.
Ma' fe'n wynt ma' pawb yn nabod –
ma' fe llawer gwaeth na fi –
y fe yw'r gwynt rŷch chi'n TORRI.
Cywilydd – YCH A FI!!!!!!!

Dewi Pws

38

Gwynt

Mae'r gwynt sydd ar fynydd Hiraethog
A'r gwynt wrth y môr yn Llanbedrog
   Yn iach, meddai Mam,
    I mi ac i Sam –
Y bîns oedd y drwg, meddai Madog!

Haf Roberts

Mistar Beaufort

'Peth rhyfedd 'di gwynt,' meddai Beaufort mewn stiw –
'Mae'n anodd diffinio peth di-lun, di-liw!

'Mae angen creu graddfa i fesur ei rym,
I ddechrau – llonyddwch – a'i alw'n rhif DIM.

'Rhif UN – awel ysgafn ar wyneb y dŵr
A mwg du yn gwyro wrth godi o'r tŵr;

'Bydd awel rhif DAU yn cosi fy nhrwyn,
A dechrau cyffroi y dail ar y llwyn;

'Bydd rhif TRI yn gryfach, bydd tonnau'n y llyn,
A bydd papur a sbwriel yn dawnsio'n y glyn;

'Canolig fydd PEDWAR – bydd cyffro ar droed –
Canghennau a brigau yn siglo'n y coed;

'Bydd Natur yn gwybod pan chwytha rhif PUMP –
Y dderwen a blyga a'r deiliach a gwymp;

'Rhif CHWECH, a bydd gwifrau'n chwibanu yn gôr
A chawod yn codi o wyneb y môr;

'Pan chwytho rhif SAITH bydd y pwysau fel maen
A phrennau mawr aeddfed yn crymu dan straen;

'Bydd brigau yn torri dan rymoedd rhif WYTH,
Fel dwylo yn agor a gollwng eu llwyth;

'A phan fydd rhif NAW yn chwyrlïo'n y ffridd,
Bydd cadarn ganghennau yn torri yn rhydd;

'Tymhestlog ofnadwy fydd cryfder rhif DEG,
A choed yn di-wreiddio ym mhŵer ei reg;

'Bydd rhif UN AR DDEG yn difetha ein tir
A'r storom yn rhuo a rhwygo drwy'r sir;

'Y cryfaf fydd DEUDDEG, yn gorwynt fel gordd,
Yn prysur ddinistrio pob peth yn ei ffordd.

'Peth rhyfedd 'di gwynt,' medda Beaufort mewn stiw,
'Dwi wedi diffinio peth di-lun, di-liw!'

Carys Jones

Gwely haul

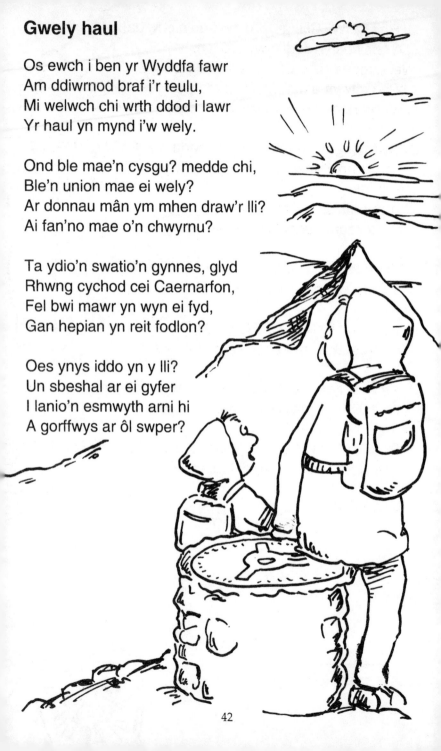

Os ewch i ben yr Wyddfa fawr
Am ddiwrnod braf i'r teulu,
Mi welwch chi wrth ddod i lawr
Yr haul yn mynd i'w wely.

Ond ble mae'n cysgu? medde chi,
Ble'n union mae ei wely?
Ar donnau mân ym mhen draw'r lli?
Ai fan'no mae o'n chwyrnu?

Ta ydio'n swatio'n gynnes, glyd
Rhwng cychod cei Caernarfon,
Fel bwi mawr yn wyn ei fyd,
Gan hepian yn reit fodlon?

Oes ynys iddo yn y lli?
Un sbeshal ar ei gyfer
I lanio'n esmwyth arni hi
A gorffwys ar ôl swper?

Wel nagoes siŵr! O! sôn am rwtsh!
Mae'i wely yn y CASTELL!
I Dŵr yr Eryr sudda'n slwtsh
Bob nos, fel wy i badell!

Mae iddo yno wely plu
Gwylanod cegog Cibyn,
A chysgu'n sownd a wna'n ei dŷ
Cyn codi'r bore wedyn!

Haf Roberts

'Does 'na ddim awyr heddiw'

Yn ffenest y bore
Rwy'n edrych draw
Ar fynyddoedd duon
O gymylau glaw.

Cynfasau, blancedi
A thraeth a llen,
Moroedd, mynyddoedd
O gymylau uwchben.

Dim awyr heddiw,
Dim awydd chwaith
I godi o 'ngwely
I fynd at fy ngwaith.

Myrddin ap Dafydd

Y niwl mawr

Roedd niwl tew ofnadwy erstalwm
O amgylch ein tŷ yn y coed;
Ni welais fy nhad i o gwbwl
Na Mam chwaith, nes o'n i'n saith oed!

Eilir Rowlands

Niwl

Barf hen ddyn ar ddiwedd Medi
Dros bob man a thrwy'r pentrefi,
Barf hen ddyn fel papur sidan,
Gwynt o'r môr yn chwythu deilan.

Barf hen ddyn ar ddechrau hydref
Yn hel yr heulwen yn ôl adref,
Barf hen ddyn yn llawn gwlân cotwm,
Gwisgo 'nghôt a chau pob botwm.

Barf hen ddyn yn llwydo'r awyr,
Barf hen ddyn ar fore budur
Yn lapio'n dynn a chlymu'r llinyn
Ar atgofion haf hirfelyn.

Ysgol Llandwrog

Tyfu'n ddyn

Rwy'n credu yn siŵr mai peth digon
Annifyr yw tyfu yn ddyn.
'Pam hynny?' gofynnwch; wel, gwrandwch
Ar air bach o'm profiad fy hun.

Roeddwn i newydd gyrraedd o'r ysgol,
Ac yn gwrando'r gaeafwynt a'i ru
Yn clecian drwy glogwyn Drws Daran,
A minnau yn saff yn y tŷ.

Roedd fy mam yn y gegin yn brysur
A gwaeddodd, 'Wnei di'r hogyn mawr
Fynd i'r cwt i nôl glo yn y bwced?
Mae'r tân yma'n dechrau mynd lawr.'

Cychwynnais ar f'union yn ufudd,
Agorais y drws, ond daeth glaw
Yn genlli fel marblis i'm wyneb,
A sefais yn syfrdan mewn braw.

'Tyrd i'r tŷ,' gwaeddodd Mam wedi dychryn,
A meddai, 'a gwranda di, ffrind –
Dydi'm ffit i'r ci fentro allan;
Cau y drws, mi geith dy dad fynd.'

Edgar Parry Williams

Ffenestri gwlyb

Mae'n bwrw 'mhob ffenest heddiw'n y tŷ,
Yr awyr yn afon o gymylau du.

Wrth godi o 'ngwely, dwi'n gweld dim ond glaw,
Pen grisiau, lle molchi yn llaith ar y naw.

Powlio mae'r dagrau 'lawr gwydrau y gegin
A'r parlwr a'r cyntedd sy'n gweld yr un ddrycin.

Lawr grisiau neu'r llofftydd, mae'r ffenestri i gyd
Yn byllau i bysgod neu'n llynnoedd i chwîd.

Rhai'r ffrynt a rhai'r cefn, rhai'r gogledd, rhai'r de,
Ffenestri digalon sydd yma drwy'r lle.

Ond cyn cinio mi sychodd un ffenest yn iawn:
Dwi am eistedd ac edrych drwy honno drwy'r pnawn.

Myrddin ap Dafydd

47

Arogli'r storm

Iant! Tyrd i chwarae, Ianto!
Hwrê! Fe ddaeth yr haf –
Mae cŵn yn hoffi rhampio
Drwy'r goedwig pan mae'n braf.

Ond at y tân yr aeth o
Fel tasa hi yn rhew,
Ac udo'n ddistaw, ddistaw,
A chryndod drwy ei flew!

O twt! Fe awn ni hebddo
I ddringo yn y coed;
Ond, toc, daeth fflach ac ergyd
A'r dafnau brasa 'rioed!

Y storm a ddaeth heb rybudd
A'r awyr las mor ddu –
A Ianto oedd y callaf,
Yn swatio yn y tŷ!

Dorothy Jones

48

Carnifal ym Mae Caerdydd

Heno mae carnifal yn y Bae –
sioe o fflachiadau
wrth i fellt hollti'r awyr
uwchben y ddinas.
Drymiau'n taranu
yn y cymylau,
cychod yn dawnsio'n afreolus.
Brwyn yn siglo'n wyllt
i rythm y glaw.
Hwyaden ac alarch yn ffoi
rhag y cynnwrf a'r cyffro.
Heno, mae carnifal yn y Bae.

Zohrah Evans

Teulu stormus

Morus y gwynt
Ac Ifan y glaw
Yn chwythu a sblashio
Yng nghanol y baw.

Aeth Ifan i ddawnsio
Tip-tap ar y to,
A gwylltiodd Morus
Nes bron mynd o'i go'.

Mallt y felltan
Yn fflachio'n goch,
A Derec y daran
Yn rhuo'n groch.

Nain yn ei chornel
Mewn tymer reit flin,
Dim llun o Gwmderi
I'w gael ar y sgrin.

Mae'n bictiwr o dristwch
A'i phen yn ei phlu,
A'r erial yn ddarnau
Ar ben to y tŷ.

Ond oddi allan
Mae Morus ac Ifan,
Mallt y felltan,
A Derec y daran
Yn cael andros o sbri!

Selwyn Griffith

Traed gwlyb

Y glaw
fu'n chwyddo'r afon
a throi'r ceulannau'n fwd.

Dyna hwyl –
padlo'n y mwd,
'sgidiau'n suddo
i gyfeiliant
byrlymau amheus,
coesau'n diflannu
hyd y pengliniau.

Colli esgid,
a'r ailwisgo'n
seimllyd feddal,
fel stwffio llaw
i geg pysgodyn marw.

Cerdded adre,
a bodiau'r traed
yn tylino sleim
gam wrth gam.

Rhuthro i'r tŷ,
tynnu 'sgidiau,
a physgota
am hen sanau
sy'n diferu bwdram drewllyd
dros lawr cegin Mam.

Emyr Hywel

Wmffra Ffagal

Helô, Wmffra.
Dwi'n nabod y defnyn glaw 'ma'n iawn.
Ei enw yw Wmffra.
Wmffra Ffagal.
Helô, Wmffra.
Mae o'n dod i 'ngweld i bob tro bydd hi'n bwrw glaw.

Roedd Wmffra'n eistedd ar ffenest y car ddoe
Pan oedd Mam yn Kwik Save.
Cawsom dipyn o sgwrs – am y tywydd yn fwy na dim.

Yna sglefriodd Wmffra i lawr ochr y car ac i'r pwll yn
                               y maes parcio.
Yno fuodd o am y noswaith yn cysgu'n braf.
Daeth yr haul allan y bore 'ma.
Erbyn amser cinio roedd y pelydrau'n ddigon cryf i
                               Wmffra'u dringo.
Bu'n eistedd ar gwmwl yn torheulo am weddill y pnawn.

Erbyn amser te roedd Wmffra'n barod am hwyl eto.
A dyma fo – wedi neidio heb na pharashiwt na dim –
A glanio ar ffenestr fy llofft!
Helô, Wmffra.

Carys Jones

'Dach chi'n hoffi'r glaw?'

'Gas gen i'r glaw
Ar ddydd Llun,' meddai Nain,
'A'r dillad yn hongian
Drip, drip ar y lein.'

'Niwsans 'di'r glaw,'
Meddai ffermwr Ty'n Rhos;
'Mae 'myrnau sych grimp i
'Di socian dros nos.'

'Poen ydi'r glaw
Diwrnod gêm,' meddai Becs;
'Mae 'ngwallt i yn llanast
A 'nghoesau fi'n stecs.'

'Ond *dwi*'n hoffi'r glaw,'
Meddai Musus Cwac Cwac;
'Ga' i fynd allan
Heb welis na mac!'

Dorothy Jones

55

Cyfnewidiol

'Cyfnewidiol,' meddai dyn y tywydd.
'Mam! Be ma' cyfnewidiol yn feddwl?'

Haul yn taro drwy fy ffenest,
Diwrnod braf, gobeithio.
Agor llenni,
Ydi ma' hi!
Yna'n sydyn, cofio . . .

Does 'na'm ysgol heddiw, nagoes,
Ma' hi'n ddiwrnod rhydd!
Ffonio'n ffrindia,
Gneud trefniada,
Gynnon ni drw' dydd!

Be am godi den ta, hogia,
Dan y goedan gam?
Casglu briga,
Codi walia,
Mhell o olwg Mam.

Haul yn awr yn uchel uchel,
Amsar cinio bron,
Neb yn cwyno,
Dal i weithio
Den bach newydd sbon!

Cwmwl du yn dod o rwla,
Sydyn ar y naw!
Neb yn poeni,
Bydd ein den ni
Bownd o ddal y glaw.

Glaw yn dyner iawn i ddechra,
Cartra'n glyd fel nyth.
Un diferyn
Ddaw i gychwyn,
Neb yn poeni'n syth.

Taran uchel yn ein dychryn,
Glaw yn arllwys lawr.
To yn gwegian,
Afon fechan
Sydd yn tyfu'n fawr.

Afon fawr ddaw dros ei glannau,
Pawb yn mynd ar ras;
Waliau'n disgyn,
To yn esgyn
Hefo'r gwynt mawr cas.

Rhedeg adra am ein hoedal,
Gweld ein den ar chwâl.
Ond er y malu,
Er y chwalu,
Diwrnod gwerth 'i ga'l.

Cefin Roberts

58

Hen ŵr

Pwy ydi'r hen ŵr
Ar gae Fron-Deg,
Het ar ei ben
A phib yn ei geg?

Mae'n biti 'i weld o
Ar noson mor oer,
Yn rhewi'n gorn
O dan olau'r lloer.

Gwell i mi lapio'r
Creadur mewn siôl,
A chwilio am drowsus
I gnesu'i ben-ôl.

Mae'n noson rhy oer
I sefyllian yn noeth;
Ys gwn i a hoffai
Gael potel ddŵr poeth?

Selwyn Griffith

Cyfle newydd

Edmygu wnes i,
Edmygu'r sioe o betalau
Flagurodd ar goeden geirios
Wrth giât fach tŷ ni.

Aros wnes i,
Aros yn amyneddgar
I'r ffrwyth aeddfedu
Gerllaw giât fach tŷ ni.

Addo wnes i,
Addo i mi fy hun un bore
Y cawn i'r ceirios wrth ddod adre'n y pnawn
Drwy giât fach tŷ ni.

Clywed wnes i,
Digwydd clywed trydar y lleidr
A chynnwrf y plu wrth iddo godi ar adain
Uwchben giât fach tŷ ni.

Sylwi wnes i,
Sylwi ar un ddeilen hir, olaf,
Yn siglo'n grin rhwng oerni dau dymor
Yn ymyl giât fach tŷ ni.

Edmygu drachefn wnes i,
Edmygu'r cyfle newydd
Flagurodd eto ar goeden geirios
Wrth giât fach tŷ ni.

Ann (Bryniog) Davies

61

Noson garu

Mae hi'n dywydd budr a ffadin –
Oes rhaid mynd o'r pwll bach ar y foel
Unwaith eto i heidio i achub yr hil
Heb na 'sgidiau glaw na dillad oel?

Rhaid mentro allan rhwng Pwll 'Stelig
A Phwll Brynllwyn yn nhywyllwch y nos,
Ymhell er mwyn caru yng nghanol y lôn
Yn lle aros fel arfer mewn ffos.

Rhaid dweud, dwi'm yn hoffi iawn o'r heulwen,
Ac mae 'na reswm ar niwl a glaw,
Ond does 'na ddim rheswm ar yrwyr y ceir
Sy'n ein difa a'n gwasgu i'r baw.

Ond rhaid mynd, er fy mod i yn amau
Pa les wnaf – dwi'm am aros yn hir,
A gobeithio dof trwyddi y tro 'ma 'to
Heb gael fy ngwasgu – tywydd llyffant, wir!

Huw Erith

Tywydd

Dwi ddim yn hoffi gwyntoedd,
dwi ddim yn hoffi haul,
ma'r niwl a mellt a thrane
yn neud i fi deimlo'n wael.
Ma' glaw yn anghysurus,
yn fy nrysu i yn lân.
Ond beth wy'n hoffi ore?
Sisial eira mân.

A phan gwymp y rhewbeth oerias
rwy'n cael pleser hapus, od,
wrth 'i rowlo fe lan mewn peli bach oer
a'u stwffio lawr blows Anti Blod.

Dewi Pws

63

Dau Gymro celwyddog

Dau Gymro celwyddog ofnadwy
'Di bod yn Siberia yn byw,
Yn brolio yr oerfel oedd yno
Wrth bawb fyddai'n agos i'w clyw.

'Roedd fflam ar y gannwyll yn rhewi
Ar soser ar ganol y bwrdd,
A rhaid oedd ei ffustio â mwrthwl
Er mwyn rhoi y golau i ffwrdd.'

Y Cymro bach arall a chwarddodd –
''Di hynny'n ddim byd,' meddai o,
'Yr oedd hi'n ddau gant dan y rhewbwynt
Pan o'n i'n mynd allan am dro.'

'Fy ngeiriau a rewai wrth siarad –
Roedd Boris yn gwybod be i wneud,
Sef toddi'r brawddegau mewn sosban
I weld be o'n i wedi'i ddweud.'

Os ewch chi ryw dro i Siberia,
Peth doeth fyddai mynd yn yr ha' –
Ac os cewch chi gynnig i aros,
Gofalwch da chi â dweud 'Na'.

Eilir Rowlands

Cwrlid gwyn

Dyn y lleuad
yn gwneud ei wely,
yn ysgwyd y dwfe.
Plu yn llenwi'r awyr,
yn chwyrlïo, yn troelli,
yn hofran, yn hedfan,
yn llithro i lawr
lawr
lawr
trwy'r tywyllwch.

A'r byd yn deffro
mewn cwrlid gwyn.

Zohrah Evans

Eira

Bu'r eira'n disgyn,
Atebwyd fy ngweddi;
Mae'r radio'n dweud
'S'dim ysgol heddi' . . .

Gwyn Morgan

Dyn eira

Mae gwên yr hen ddyn eira,
'Di newid, rwy'n eitha siŵr.
Peth nesa, mae e 'di hel ei bac
A gadael pwll o ddŵr.

Gwyn Morgan

Dyma'r tymhorau

Swatio dan ddwfe, ddim moyn dod mas
Modfedd o'r gwely, tywydd mor gas;
Natur yn cwato dan orchudd o rew,
Haenen o eira yn glynu at flew –
Dyma yw'r Gaeaf.

Santa yn cyrraedd, Rwdolff 'da fe,
Trimins ym mhobman ar hyd y lle;
Bwyd ac anrhegion, cyfeillion ynghyd,
Gwin twym a mins peis, babi bach mewn crud –
Dyma yw'r Gaeaf.

Storm wedi rhedeg allan o wynt,
Barrug a llwydrew'n bell ar eu hynt;
Ŵyn bach yn prancio, diofal a llon,
Adar yn trydar yn don ar ôl ton –
Dyma yw'r Gwanwyn.

Carpedi o baent, yn taenu lliw
Enfys flodeuog, cyfle i ad-fyw;
Cynffonnau ŵyn bach yn dawnsio ar bren,
Braf gweld y wennol yn hedfan uwch ben –
Dyma yw'r Gwanwyn.

Mynd ar fy ngwyliau – rhywle braf, poeth –
Tywod briwsionog o dan droed noeth;
Croen lliw cnau coco, tripiau di ri,
Gwybed yn mwmian yng nghlust y pabi –
Dyma yw'r Haf.

Siorts a sandalau, gwair ar ben tas,
Lliwiau yn blastar, coch, piws a glas;
Dyddiau diddiwedd o haul sy'n gras-boeth,
Torheulo'n noethlymun, nid yw yn ddoeth –
Dyma yw'r Haf.

Brigau'n ymestyn fel bysedd crin,
Gwynt sydd yn rhuo fel bwystfil blin;
Dŵr yn dylifo fel neidr i'r llyn,
Adar yn dianc a chilio o'r glyn –
Dyma yw'r Hydref.

Carped amryliw o ddail ar lawr,
Eiddew yn crogi y dderwen gawr;
Llwynogod, cwningod ar ysgafn droed,
Eraill moyn cysgu yng nghanol y coed –
Dyma yw'r Hydref.

Gwenno Dafydd

Y Tymhorau

Gwyrddni.
Ŵyn.
Adar yn
Nythu.
Wyau Pasg
Yn
Neis.

Hwrê!
Awst!!
Finnau'n hapus.

Hel cnau.
Y
Dail yn disgyn.
'**R**ydw i'n
Eich gadael,' meddai'r wennol, 'a hynny'n
Fuan.

Gwynt
A rhew,
Eira, efallai.
A'r
Flwyddyn bron ar ben.

Valmai Williams

Tymhorau

Gwanwyn – a daw'r deilio;
Haf – y dwylo doeth.
Hydref – trônt yn dannau;
A'r Gaeaf – cerfiadau noeth.

Gwyn Morgan

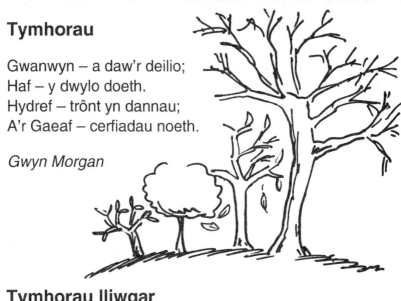

Tymhorau lliwgar

Lliw aur sydd i'r llwyni eithin
Drwy'r haf ar ochr y bryn,
Ac ar ddechrau gwanwyn yn llenwi'r ardd
Mae'r eirlysiau, fel eira o wyn.
Mae dail y coed yn yr hydref
Yn felyn, oren a brown,
A'r aeron ar goeden celyn
Yn ddisglair goch, fel trwyn clown.
Drwy'r flwyddyn ar ganfas natur
Fe welwn ni liwiau lu –
Ond fedrwch chi ddweud o ddifri
Pam fod prinder o flodau du?

Lis Jones

Tymhorau Miss

Pan fo Miss yn teimlo'n hapus,
Mae'n dywydd heulog, braf;
Gwenoliaid wrthi'n gwibio'r glas,
A'r gwyrdd yn britho'r haf.

Ond pan mae'n colli'i limpin,
Mae'n dywydd stormus iawn,
Mae fflach y mellt a'r daran fawr
I'w profi ar brynhawn.

Pan mae Miss yn ddryslyd,
Daw'r niwl yn drwch fel gwlân;
Try pethau bach yn enfawr,
A'r mawr yn bethau mân.

Yna daw y gwyntoedd
A'i chwythu 'ffwrdd yn llwyr,
Dros ddôl a bryn – a ddaw hi
Yn ôl? Wel pwy a ŵyr?

Mae Miss yn eitha bodlon –
Mae'n eira, ac mae'n sych.
Dyma amser gorau 'rioed,
Dim ysgol heddiw – GWYCH!

Gwyn Morgan

Tymhorau

'Pa dymor ydi hi rŵan, Tomi?'
Gofynnodd Miss Preis yn neis.
'Ebrill, Miss Preis,' atebodd Tomi,
Gan feddwl rhoi ateb cywir am sypreis!

'Wel, nage Tomi bach,' atebodd hithau,
A'r plant yn chwerthin llond eu boliau.
'Gwanwyn ydi hi, Tomi fy ngwas i,
Rhaid i ti ddysgu hyn neu wna i ddim maddau!

'Edrychwch ar y goeden dderwen sydd tu allan –
Os oes blagur, lympiau bach ar y canghennau,
Yna, **tymor y gwanwyn** ydi hi, fy mhlant i,
Rhaid i chi gofio hyn neu wna i ddim maddau!

'Pan fo'r dderwen yn drwm o ddail ymylon crwn,
A blodau fel cynffonnau ŵyn bach ym Mehefin,
Yna, **tymor yr haf** ydi hi, fy mhlant i,
Cofiwch hyn neu fydda i ddim yn chwerthin!

'Pan fo'r dail yn troi'n frown ac yn disgyn,
A'r wiwer yn dod i hel mes at y gaea,
Yna, **tymor yr hydref** ydi hi, fy mhlant i,
Plis, cofiwch hyn neu wna i ddim madda!

'Pan fo'r canghennau'n ddu ac fel bysedd gwrach,
Neu'n wyn dan rew fel sgerbydau gwynion,
Yna, **tymor y gaeaf** ydi hi, fy mhlant i,
Cofiwch hyn neu o 'ma yr af ar f'union!'

Bethan Non

Draw, draw yn China . . .

Draw, draw yn China, ymhell o fan hyn,
mae mesur y misoedd yn rhyfedd;
dau ddeg a phedwar yn lle un deg dau
sydd o ddechrau y flwyddyn i'w diwedd.

Cychwyn y Gwanwyn yw'r cyntaf o'r rhain,
ac yna daw *Mis y Glawogydd,*
cyn cosi a choglais a chyffro y chwain –
mis *Deffro'r Holl Bryfed* yw'r trydydd.

Ym mis Alban *Tsiwnffen*, mae'r nos a'r dydd
yn union yr un hyd â'i gilydd;
Cingming, y pumed, o'i roi yn Gymraeg,
sy'n ddisglair fel darn arian newydd.

Daw *Hirddydd yr Haf* ar ôl *Mis y Grawn,*
Mis yr Aur, y *Llafur* a'r *Ydlan;*
'rôl *Mis y Gwres Bach* a *Mis y Gwres Mawr*
daw *Dechrau yr Hydref* i'r berllan.

Tshwshw sy'n dweud bod yr *Haf Wedi Mynd*,
a *Bailw* yw mis *Gwlith yr Hwyrnos;*
'rôl *Alban yr Hydref* mae'n *Fis y Gwlith Oer*,
Ac yna daw'r *Llwydrew i Aros*.

Dechrau y Gaeaf a *Mis Eira Mân*
sy'n arwain at *Fis Eira Tawel;*
Dongji sy'n cwyno bod y gaeaf yn hir
cyn *Misoedd Bach Olaf yr Oerfel*.

Ac felly, yn China, ymhell o fan hyn,
daw'r flwyddyn yn araf i'w diwedd,
ac enwau ei misoedd yn harddwch i gyd –
os ydyn nhw weithiau yn rhyfedd!

Mererid Hopwood